Michael Langer

Saitenwege

für zwei Gitarren

1

Antonio Vivaldi · Johann Sebastian Bach
Henry Purcell · Turlough O'Carolan
Mauro Giuliani · Ferdinando Carulli
Fernando Sor · Johann Strauss
Dusan Bogdanovic · Astor Piazzolla
Maria Linnemann · Len Williams
Henry Mancini · Ed Sheeran …

»leicht«

Die Audiodateien können unter

https://download.dux-verlag.de

nach Eingabe des Download-Codes kostenlos heruntergeladen werden.

Download-Code: 0lvx-dxes

Wir empfehlen den Download mit einem PC oder Mac, da die Dateien in einem ZIP-Archiv vorliegen und erst entpackt werden müssen.

Die Audiodateien sind auf den gängigen Streaming-Plattformen verfügbar (z. B. Spotify).

Spotify-Playlist:
Saitenwege Duos 1

https://sptfy.com/D918

Impressum:

D 918/ ISMN 979-0-50017-554-4 / ISBN 978-3-86849-381-8

Audiofiles:
Es spielen: Gitarrenduo Michael Langer & Sabine Ramusch
Aufnahmen: Studio Legale, Wien

Recording, Mastering, Layout und Notensatz: Michael Langer

Umschlaggestaltung:
Rauchbauer & Partner Werbeagentur GmbH, Gaimersheim

Bildmaterial: Alenavlad (Adobe Stock)

www.dux-verlag.de

VORWORT

„Saitenwege für zwei Gitarren - Band 1" führt durch sechs Jahrhunderte Gitarrenmusik verschiedenster Stile und Epochen. Diese Spielsammlung soll ein inspirierender Begleiter bei einem der schönsten Dinge sein, die Musik bieten kann: dem miteinander Musizieren. Thema von Band 1 ist der Einstieg in die Literatur für zwei Gitarren.

Durch die freundliche Mitarbeit aller beteiligten Verlage ist es gelungen, einige der beliebtesten Stücke aus dem musikpädagogischen Bereich der klassischen und populären Gitarrenduo-Literatur in diese Sammlung aufzunehmen. Ergänzt wurden diese durch eine ganze Reihe eigener Arrangements, die hier zum ersten Mal veröffentlicht sind.

Die Angabe des Schwierigkeitsgrades am Beginn des Stückes soll die Einschätzung erleichtern und eine gute Durchspielbarkeit des Buches ermöglichen. Detaillierte Fingersätze für die linke und rechte Hand sollen zur ganz bewussten Ausführung anregen und Hilfestellungen geben. Auch habe ich mich mit großer Genauigkeit mit dem Dämpfen der Leersaiten auseinandergesetzt, da dies immer wieder als Problem formuliert wird.

Alle Titel dieses Buches wurden vom Gitarren-Duo „Guitar & Passion" eingespielt und können über den beigefügten Download-Link heruntergeladen bzw. auf allen gängigen Streaming-Plattformen angehört werden.

Diese musikalischen Versionen wie auch die in diesem Buch angegebenen Fingersätze werden aber immer subjektiv bleiben und verstehen sich nur als Service und Hilfe bei der Entwicklung eigener Vorstellungen und Vorlieben – beim Entstehen einer eigenen Interpretation.

Auf diesem Weg wünsche ich euch viel Spaß!

Michael Langer
Wien, im Mai 2022

INHALT

ZEICHENERKLÄRUNG

Die Finger der rechten Hand werden mit Buchstaben abgekürzt:

p = Daumen
i = Zeigefinger
m = Mittelfinger
a = Ringfinger

Die Finger der linken Hand werden mit Ziffern abgekürzt:

1 = Zeigefinger
2 = Mittelfinger
3 = Ringfinger
4 = kleiner Finger

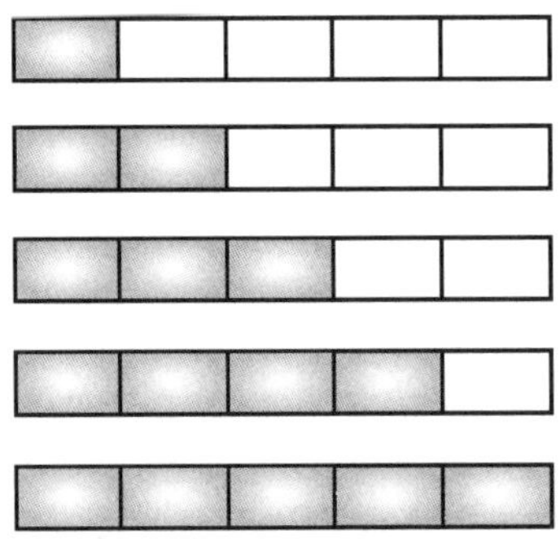

= sehr leicht
= leicht
= mittelschwer
= schwer
= sehr schwer

3 -------- Finger bleibt liegen.

p -----┘ Der Daumen spielt mehrere aufeinanderfolgende Töne.

Lagenwechsel

Glissando

Technische Bindung: strichlierte Linie

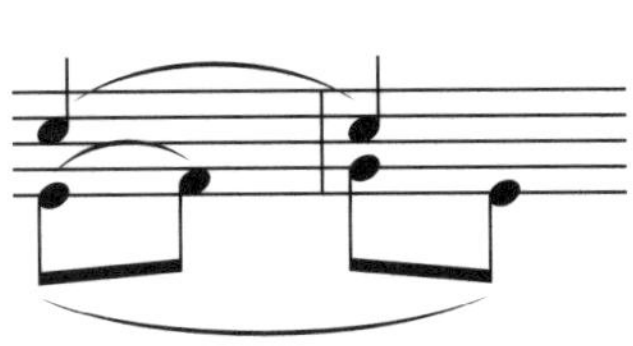
Musikalische Bindung: durchgehende Linie (oben: Haltebogen, unten: Phrasierungsbogen)

V ④ Barrégriff: Lege den 1. Finger am V. Bund quer über die 1.–4. Saite.

③ ⑤ Innerer Barré: Der 1. Finger greift nur quer über die 3., 4. und 5. Saite (leichtes Durchbiegen im Fingerendgelenk).

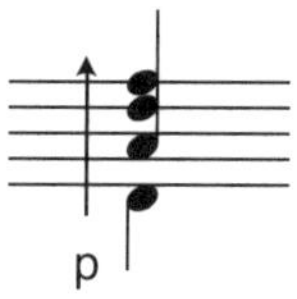

Daumen streicht durch
(von der 4. zur 1. Saite).

Zeigefinger schlägt durch
(von der 1. zur 4. Saite).

Vorschlagnote
Schlage die Vorschlagnote an und binde zur Hauptnote. Ist die Vorschlagnote durchgestrichen, wird sie kurz gespielt.

DÄMPFEN:
Wenn nicht anders bezeichnet, wird mit dem Daumen der rechten Hand gedämpft.

Ist das Symbol ...

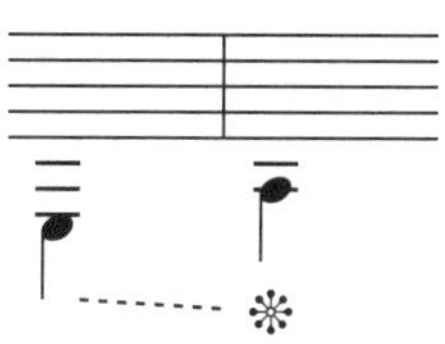

... genau unter der Note:
Daumenoberkante dämpft.

... unter einer Pause:
Daumen setzt wieder an.

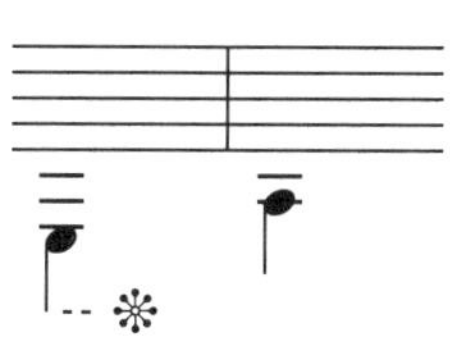

... vor der Note:
kurzes Ansetzen an die 6. Saite
vor dem Anschlag der 5. Saite

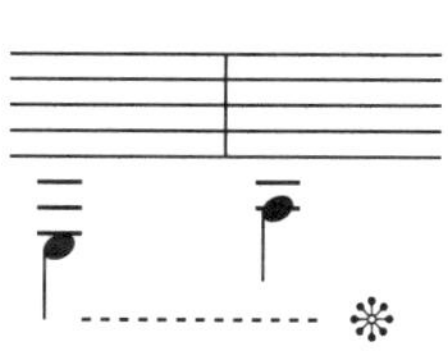

... nach der Note:
Nach dem Anschlagen des A springt der Daumen so schnell wie möglich an die 6. Saite und dämpft das E.

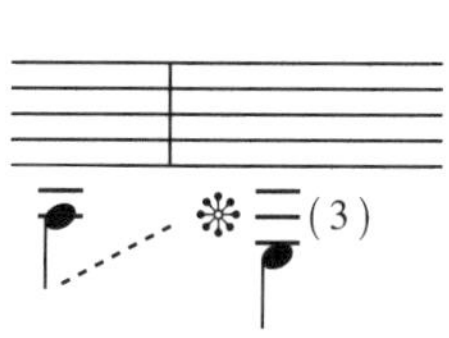

... links oberhalb der Note:
„Stummer" Finger der linken Hand (in diesem Fall der 3. Finger) dämpft die Saite durch Berühren.

Renaissance ...

... bedeutet „Wiedergeburt“: Die intensive Beschäftigung mit der Antike leitete vor 500 Jahren ein neues Zeitalter ein.

Es war die Zeit des Dichters William Shakespeare, die Zeit als Amerika entdeckt und der Buchdruck erfunden wurde, die Zeit Karls des V., der über ein Reich herrschte, in dem „die Sonne nicht unterging.“

Die Gitarre existierte noch nicht in ihrer heutigen Form. Die beiden bedeutendsten Zupfinstrumente waren die Renaissancelaute mit ihrem charakteristisch birnenförmigen Korpus aus mehreren Holzspänchen und die Vihuela. Dieses Instrument wurde nur in Spanien gespielt – trotz wesentlich kleinerem Korpus wird sie als Vorgängerin der modernen Gitarre angesehen.

Die Laute oder Vihuela wurden in der damals gebräuchlichen fis-Stimmung gespielt, mit der von g auf fis hinuntergestimmten dritten Saite. Alle diese Stücke stehen hier zur leichteren Lesbarkeit in unserer heutigen Gitarrenstimmung. Nur „Caleno custure me“ auf Seite 19 habe ich in originaler fis-Stimmung notiert: Bei diesem Stück zeigt sich, dass manche Originalkompositionen in den Kreuz-Tonarten mit fis-Stimmung eindeutig einfacher zu spielen sind.

Ein Stück möchte ich herausheben: „Greensleeves“, eine Melodie, die hier mit Pop-Begleitung so vertraut erscheint, ist tatsächlich wie die anderen Stücke dieses Kapitels 500 Jahre alt. Ein historisches Arrangement ist im 2. Band abgedruckt.

1

BASSE DANCE

Pierre Attaingnant (1494-1552)
Bearbeitung für 2 Gitarren: Michael Langer

2

GASSENHAUER

Hans Neusidler (16. Jh.)
Bearbeitung für 2 Gitarren: Michael Langer

3

KEMP'S GIG

Anonym (16. Jh.)
Bearbeitung für 2 Gitarren: Michael Langer

Fine
D.C. al Fine

4

GREENSLEEVES

Anonym (16. Jh.)
Bearbeitung für 2 Gitarren: Michael Langer

i
m
i
i
m
p i m i p i
a i m i m i
p m a m i m

5

CANZONE

Anonym (16. Jh.)
Bearbeitung für 2 Gitarren: Michael Langer

6

LA VOLTA

Anonym (16. Jh.)
Bearbeitung für 2 Gitarren: Michael Langer

7

CALENO CUSTURE ME

Anonym (Irland 16. Jh.)
Bearbeitung für 2 Gitarren: Michael Langer

Diese Stück ist in der historischen fis-Stimmung der Renaissance-Laute aufgeschrieben.
Bitte beachte, wie einfach dadurch die Akkorde in den Takten 2-4 gespielt werden können!

Barock ...

Der Barockstil zeichnet sich durch lebensfrohe, prunkvolle Üppigkeit aus, der „Sonnenkönig“ Ludwig XIV. war während seiner langen Regierungszeit das Vorbild aller anderen Monarchen.
Mit der Erfindung der Oper um 1600 beginnt das Barockzeitalter. In der Musik spricht man auch vom Zeitalter des „Generalbass“, weil das Bassfundament eine beherrschende Rolle spielte.
Durch eine Erhöhung der Saitenzahl bis zu 13 doppelt bespannten Saiten versuchten die Lautenisten dieser Herausforderung gerecht zu werden. Die Lautenkompositionen von Johann Sebastian Bach und Silvius Leopold Weiss waren der unüberbietbare Höhepunkt.
Gleichzeitig gewann ein Instrument an Popularität, das unserer heutigen Gitarre bereits sehr ähnlich war: Die Barockgitarre entsprach in ihrer Stimmung der heutigen Gitarre mit einem wesentlich kleineren Tonumfang im Bass, da die 5. Saite eine Oktave höher erklang und die 6. Saite überhaupt noch fehlte.
Leider gibt es keine nennenswerte, leicht spielbare Original-Literatur für Lauten- oder Barockgitarren-Duo, so konnten wir „ungehemmt“ auf den großen musikalischen Schatz des Barock zugreifen: Für zwei Gitarren bearbeitet wurden Werke für Laute (Saint-Luc, Vallet), Barockgitarre (Sanz, Visée), Harfe (O'Carolan), Klavier (Bach) und Orchester (Purcell, Vivaldi).

8

RUJERO

Gaspar Sanz (1640-1710)
Bearbeitung für 2 Gitarren: Michael Langer

9

FANNY POWER

Turlough O'Carolan (1670-1738)
Bearbeitung für 2 Gitarren: Michael Langer

10

RONDEAU

Henry Purcell (1659-1695)
Bearbeitung für 2 Gitarren: Michael Langer

D.C. al Fine

11

BOURRÉE

Robert de Visée (1656-1732)
Bearbeitung für 2 Gitarren: Michael Langer

12

LA PIOGGIA

Antonio Vivaldi (1678-1741)
„Der Regen", aus den „Vier Jahreszeiten - Der Winter"
Bearbeitung für 2 Gitarren: Michael Langer

13

ALL IN A GARDEN GREEN

Nicolas Vallet (1583-1642)
Bearbeitung für 2 Gitarren: Michael Langer

14

MARSCH UND MUSETTE

Johann Sebastian Bach (1685-1750)
aus dem Klavier-Notenbüchlein für Anna Magdalena Bach
Bearbeitung für 2 Gitarren: Michael Langer

Marsch

15

ANDANTE A-MOLL

Antonio Vivaldi (1678-1741)
aus dem Konzert für 2 Mandolinen und Streicher in G-Dur
Bearbeitung für 2 Gitarren: Michael Langer

31
mf
m i m i
35
m i m i
39
p
m i
43
f
p
47
p
m i
f
p

Musette

m i
i m
i m a

47
m i
(tr)
52
i m
57
i m i a m i
62
67
p i m a

16

SARABANDE

Jacques de Saint-Luc (1616-1708)
Bearbeitung für 2 Gitarren: Michael Langer

Klassik ...

Die klassische Epoche war die Zeit des „Biedermeier", als sich unter dem politischen Druck der Zensur das kulturelle und gesellschaftliche Leben ins Private verlagerte.
In der Musik wurde die komplizierte Satztechnik des Barock zugunsten einer neuen Einfachheit aufgegeben. Gesangliche Oberstimmen dominierten über einer vergleichsweise schlichten Harmonik.
Die Gitarrenkomponisten der Klassik stehen in der Musikgeschichte im Schatten von Haydn, Mozart und Beethoven, die leider nie etwas für die Gitarre geschrieben haben. Zu ihren Lebzeiten aber waren Gitarristen wie Mauro Giuliani in Wien, Fernando Sor und Ferdinando Carulli in Paris gefeierte Virtuosen – und begehrte Lehrer, da das Instrument in den Salons wohlhabender Bürgerfamilien sehr in Mode war.
*Ein Glücksfall sind die vielen Etüden, die diese Komponisten für ihre Schüler*innen schrieben.*
Im folgenden Teil finden sich drei leicht spielbare Etüden von Sor, Giuliani und Carulli, bearbeitet für zwei Gitarren, gefolgt von drei Originalkompositionen für Gitarrenduo von Küffner, Gragnani und Call.

17

GRAZIOSO

Mauro Giuliani (1781-1829)
Bearbeitung für 2 Gitarren: Michael Langer

18

SONATINA

Ferdinando Carulli (1770-1841)
Bearbeitung für 2 Gitarren: Michael Langer

19

ANDANTE

Fernando Sor (1778-1839) nach op. 35, Nr. 13
Bearbeitung für 2 Gitarren: Michael Langer

17
m
i
21
25
29

20

ALLEGRETTO

Joseph Küffner (1776-1856)

14
i
17
m i
20
23
f
26

21

ANDANTE

Filippo Gragnani (1768-1820)
aus: „Tre Duetti per due chitarre"
Bearbeitung: Michael Langer

22

RONDO

Leonard von Call (1767-1815)

Allegretto

17
II
21
25
29
33
(Git. 1: mit rechter Hand umblättern!)
Fine

Trio

i
m
D.C. al Fine

Romantik

Das Zeitalter der Romantik baut auf der Klassik auf. Oft wird das ganze 19. Jahrhundert als „romantisches Jahrhundert“ bezeichnet, obwohl es auch das Jahrhundert der Industriellen Revolution mit gewaltigen sozialen Spannungen und das Jahrhundert zahlreicher Kriege unter dem Zeichen des aufkeimenden Nationalismus war.

Romantik in der Musik bedeutet die starke Betonung des Gefühls, unbändige Virtuosität aus dem maß- und regellosen Sprengenwollen aller Grenzen. Der italienische Geiger Niccolò Paganini, der auch virtuos Gitarre spielte, war in der ihm zugeschriebenen Egomanie und in dem von ihm ausgelösten Geniekult Sinnbild des romantischen Virtuosen.

Es war der spanische Gitarrenbauer Antonio Torres, der gegen Ende des 19. Jahrhunderts in Zusammenarbeit mit Francisco Tárrega eine größere, bis heute gültige Form der Gitarre festlegte.

Neben mehr Einsatz von Chromatik und folkloristischen Elementen in der romantischen Musik ist es vor allem ein gesteigertes Bewusstsein für Klangfarben, das aufhorchen lässt. Hervorheben möchten wir hier „La Natita“ von Juan Alais, der als Pionier der Gitarre in Argentinien bezeichnet wird, und die Bearbeitung eines Chors aus einer der wohl romantischten Opern der Musikgeschichte: Gaetano Donizettis „Lucia di Lammermoor“.

Dieses Kapitel wird von einem Kuriosum beendet: ein Gitarrenarrangement eines Ausschnitts aus den „Geschichten aus dem Wienerwald“, komponiert von Johann Strauss Sohn.

23

VALS

Daniel Fortea (1878-1953)
Bearbeitung für 2 Gitarren: Michael Langer

D.C. al Fine

24

ANDANTE

Wilhelm Neuland (1806-1889)
Bearbeitung für 2 Gitarren: Michael Langer

Kadenz ad lib.
i m
a tempo
m i
p i

25

MODERATO

Gaetano Donizetti (1797-1848)
Chor aus der Oper „Lucia di Lammermoor“
Bearbeitung für 2 Gitarren nach Joseph Küffner (1776-1856): Michael Langer

17
21
24
28
smorzando
f
p
pp

26

LA NATITA

Juan Alais (1844-1914)
Bearbeitung für 2 Gitarren: Michael Langer

Mazurka

D.C. al Fine

27

GESCHICHTEN AUS DEM WIENERWALD

Johann Strauss Sohn (1825-1899)
Bearbeitung für 2 Gitarren: Michael Langer

Multikulturell

In vielen unterschiedlichen Musikrichtungen auf der ganzen Welt ist die Gitarre ein stilbildendes Instrument. In diesem Kapitel legen wir einen Schwerpunkt auf die Gitarrenmusik Südamerikas und die Melodien der britischen Inseln.
Meister der pädagogischen Gitarrenliteratur wie Maria Linnemann, Thierry Tisserand, Claudio Camisassa und Klaus Schindler haben sich damit beschäftigt, auch der große Gitarrenkomponist Dusan Bogdanovic steuert hier eine Originalkomposition bei.
Vielen Dank an die freundliche Mitarbeit aller beteiligten Verlage, die zusätzlich auch die Abdruckrechte von „El Paño Moruno" aus der bekannten Duo-Arrangement-Serie von Len Williams und des Gitarrenduo-Hits „Morenita do Brasil", komponiert vom Italiener Giuseppe Ferrauto, genehmigten!
Abgeschlossen wird dieses Kapitel von einem Duo-Arrangement eines zu Unrecht wenig bekannten, wunderschönen Liedes des großen argentinischen Tango-Komponisten Astor Piazzolla: „Los pajaros perdidos".

28

THE IRISH WASHERWOMAN

Traditional (Irland)
Bearbeitung für 2 Gitarren: Thierry Tisserand

29

DOWN BY THE SALLY GARDENS

Traditional (Irland,16. Jh.)
Bearbeitung für 2 Gitarren: Michael Langer

30

THE WATER IS WIDE

Traditional (Schottland)
Bearbeitung für 2 Gitarren: Michael Langer

Flag. XII
1.
Flag. VII
2.
Flag. VII
8va
f
m i
8va

31

MARACATÚ

Claudio Camisassa (*1957)

25
31
37
43

32

KLEINER SCHMETTERLING

„Borboleta", Traditional aus Brasilien
Bearbeitung für 2 Gitarren: Klaus Schindler

20
25
30
35

33

FAIR INISHMORE

Maria Linnemann (*1947)

Aus: Zwei Gitarren auf Reisen 1

mf
mp
poco rall.

34

MOUNTAIN HARP

Dusan Bogdanovic (1955)
Melodie aus Ecuador

III
pizz.
f
mf

35

MORENITA DO BRAZIL

SAMBA

Giuseppe Ferrauto (1915-1979)

m i
(Git. 1: mit rechter Hand umblättern!)

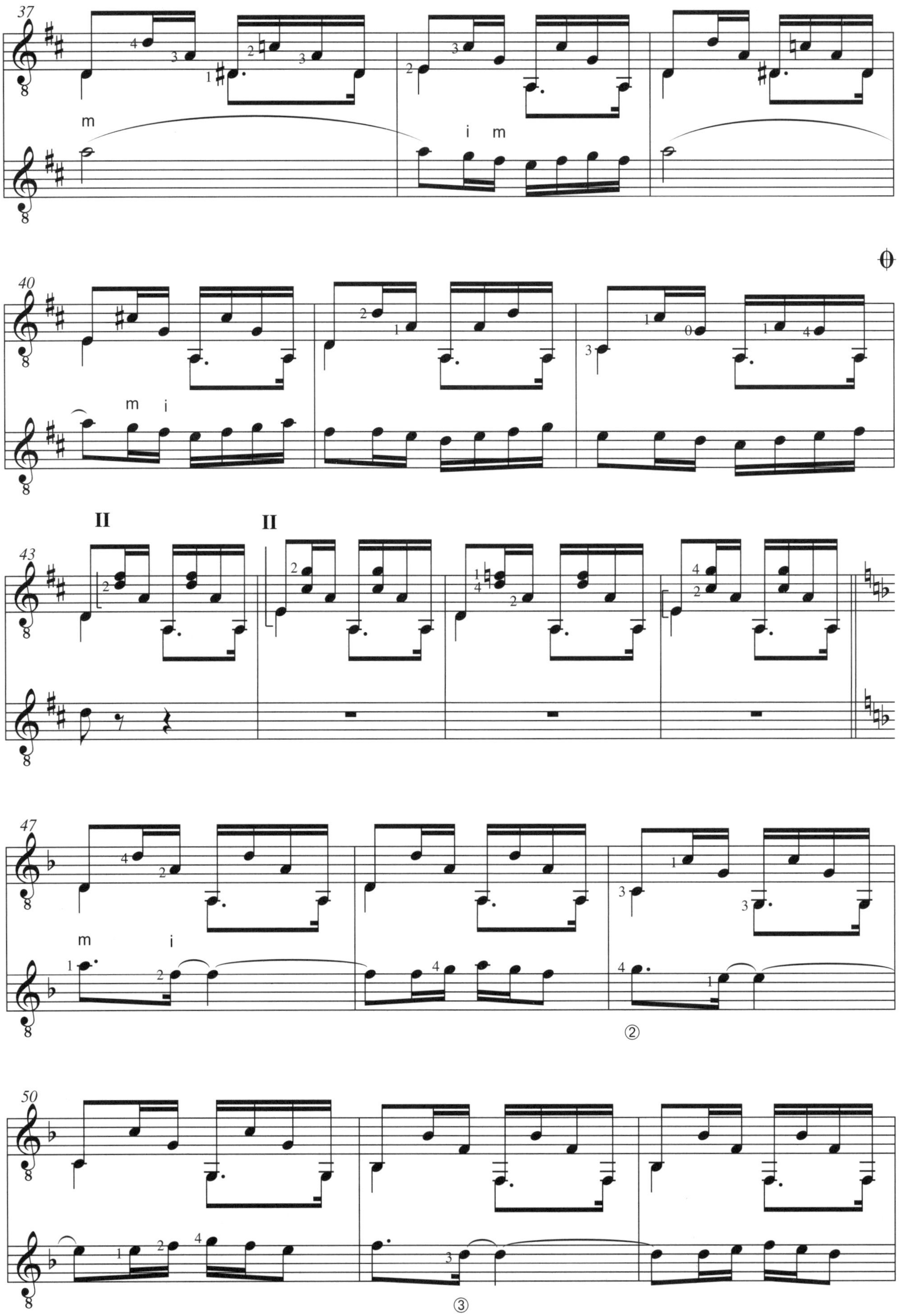
37
m
i m
40
m i
43
II
II
47
m i
50

m
i
D.C. al Coda
II
VII
II

36

EL PAÑO MORUNO

Traditional
Bearbeitung für 2 Gitarren: Len Williams

37

LOS PÁJAROS PERDIDOS

Astor Piazzolla (1921-1992)
Bearbeitung für 2 Gitarren: Michael Langer

V
p
II
pizz.
rit.
a tempo
m i
p
II
pizz.
II
pizz.
p
m i
ff
II
fff

V
VII
II
ff
pizz.
pp
m i
p i p
f

i m a m i
Fine

m
i
III
I
D.S. al Fine

Pop ...

Die Gitarre spielt nicht nur elektrisch verstärkt eine wichtige Rolle in der aktuellen Popmusik.
Melodien, Harmonien und Rhythmen des Pop lassen sich auch sehr gut in kleine, für Popmusikhörer vertraut klingende Kompositionen für klassische Gitarre verpacken. Umgekehrt betrachtet sind auch der Klang und die verschiedenen Spielarten der akustischen Gitarre ein oft genutzter Soundfaktor aktueller Pop-Produktionen.
Für diesen Teil haben wir mehrere Pop-Gitarrenduos zusammengestellt, deren Komponisten es meisterhaft verstehen, didaktische Grundgedanken der klassischen Gitarre sowie „Groove" und „Feeling" der Popmusik zusammenzubringen.
Ergänzt wird dieser Teil durch drei „echte" Popsongs, arrangiert für zwei Gitarren.

38

KÄSTCHENHÜPFEN

Hans Brüderl (*1959)

Aus: Hans Brüderl: Im Galopp. Gitarrenduos für flotte Fingerflitzer, Acoustic Music Books, AMB 3108

39

WALZER

Hans Brüderl (*1959)

Aus: Hans Brüderl: Im Galopp. Gitarrenduos für flotte Fingerflitzer, Acoustic Music Books, AMB 3108

40

PERFECT

Ed Sheeran (*1991)
Bearbeitung für 2 Gitarren: Michael Langer

2.
D.S. al Coda

41

DIE BLUME DER WAHRHEIT

für Walter

Michael Langer (*1959)

mosso
V
VIII
VII
mp
f
D.S. al Fine
rit.

42

VENT D'OUEST

für Bob Dylan

Claude Gagnon

D.S. al Coda

43

SOMMERSONNENSCHMETTERLING

Rainer Falk (*1963)

17
II
II
21
f
p i m
mf
25
p
29

44

SCARBOROUGH FAIR

Traditional
Bearbeitung für 2 Gitarren: Michael Langer

Flag. XII
VII
XII
VII
XII
XII
VII

45

BUDAPEST

George Ezra (*1993)
Bearbeitung für 2 Gitarren: Michael Langer

17
III
III
m i m a
m
i
21
III
III
25
29
Flag. XII
III

46

AT THE HOP

Artie Singer, John Medora & David White
Bearbeitung für 2 Gitarren: Michael Langer

D.S. al Fine

47

PINK PANTHER THEME

Henry Mancini (1924-1994)
Bearbeitung für 2 Gitarren: Michael Langer

12
m i
15
18
1.
21
2.
m i
i m

48

MATIN PARESSEUX

Slow Blues

Pascal Bournet

from: Blues for Two by Claude Engel

m i
II

AUDIOLISTE

01 Basse Dance, *Pierre Attaingnant, arr. Langer*
02 Gassenhauer, *Hans Neusidler, arr. Langer*
03 Kemp's Gig, *Anonym, arr. Langer*
04 Greensleeves, *Anonym, arr. Langer*
05 Canzone, *Anonym, arr. Langer*
06 La Volta, *Anonym, arr. Langer*
07 Caleno Custure Me, *Anonym, arr. Langer*
08 Rujero, *Gaspar Sanz, arr. Langer*
09 Fanny Power, *Turlough O'Carolan, arr. Langer*
10 Rondeau, *Henry Purcell, arr. Langer*
11 Bourrée, *Robert de Visée, arr. Langer*
12 La Pioggia, *Antonio Vivaldi, arr. Langer*
13 All In A Garden Green, *Nicolas Vallet, arr. Langer*
14 Marsch und Musette, *Johann Sebastian Bach, arr. Langer*
15 Andante a-Moll, *Antonio Vivaldi, arr. Langer*
16 Sarabande, *Jacques de Saint-Luc, arr. Langer*
17 Grazioso, *Mauro Giuliani, arr. Langer*
18 Sonatina, *Ferdinando Carulli, arr. Langer*
19 Andante, *Fernando Sor, arr. Langer*
20 Allegretto, *Joseph Küffner*
21 Andante, *Filippo Gragnani*
22 Rondo, *Leonard von Call*
23 Vals, *Daniel Fortea, arr. Langer*
24 Andante, *Wilhelm Neuland, arr. Langer*
25 Moderato, *Gaetano Donizetti, arr. Langer*
26 La Natita, *Juan Alais, arr. Langer*
27 Geschichten aus dem Wienerwald, *Johann Strauss*
28 The Irish Washerwoman, *Trad., arr. Tisserand*
29 Down By The Sally Gardens, *Trad., arr. Langer*
30 The Water Is Wide, *Trad., arr. Langer*
31 Maracatú, *Claudio Camisassa*
32 Kleiner Schmetterling, *Trad., arr. Schindler*
33 Fair Inishmore, *Maria Linnemann*
34 Mountain Harp, *Dusan Bogdanovic*
35 Morenita do Brazil, *Giuseppe Ferrauto*
36 El Paño Moruno, *Trad., arr. Williams*
37 Los pájaros perdidos, *Astor Piazzolla, arr. Langer*
38 Kästchenhüpfen, *Hans Brüderl*
39 Walzer, *Hans Brüderl*
40 Perfect, *Ed Sheeran, arr. Langer*
41 Die Blume der Wahrheit, *Michael Langer*
42 Vent d'ouest, *Claude Gagnon*
43 Sommersonnenschmetterling, *Rainer Falk*
44 Scarborough Fair, *Trad., arr. Langer*
45 Budapest, *Pott/Barnett, arr. Langer*
46 At The Hop, *White/Medora/Singer, arr. Langer*
47 Pink Panther Theme, *Henry Mancini, arr. Langer*
48 Matin paresseux, *Pascal Bournet*